EL BARCO
DE VAPOR

La tía Clío
y la máquina de escribir

Mónica Rodríguez

Ilustraciones de Lucía Serrano

sm

fundación sm

La Fundación SM destina los beneficios de las empresas SM a programas culturales y educativos, con especial atención a los colectivos más desfavorecidos.

Si quieres saber más sobre los programas de la Fundación SM, entra en **www.fundacion-sm.org**

LITERATURA**SM**•COM

Primera edición: octubre de 2015
Quinta edición: marzo de 2019

Gerencia editorial: Gabriel Brandariz
Coordinación editorial: Berta Márquez
Coordinación gráfica: Lara Peces

© del texto: Mónica Rodríguez, 2015
© de las ilustraciones: Lucía Serrano, 2015
© Ediciones SM, 2015
   Impresores, 2
   Parque Empresarial Prado del Espino
   28660 Boadilla del Monte (Madrid)
   www.grupo-sm.com

ATENCIÓN AL CLIENTE
Tel.: 902 121 323 / 912 080 403
clientes@grupo-sm.com

ISBN: 978-84-675-8259-8
Depósito legal: M-28239-2015
Impreso en la UE / *Printed in EU*

A mis tesoros:
Marta, Paula y Lucía.

Para ti que has
compartido conmigo
esta mañana y
ahora este libro.

Mónica R.
22 / 11 / 2015

1

Necesito tu ayuda

De puntillas, como un delincuente, llegó mi tía Clío.

–¿Te he asustado? –preguntó dándome un susto.

–Pues claro, tía.

–Es por el hipo.

–No tengo hipo.

–¿Ves? Porque te he asustado.

–No, no tenía hipo.

–¿Y si lo llegas a haber tenido?

Puse los brazos en jarras y traté de parecer más alta.

–¡QUE-YO-NO-TENÍA-HIPO!

–¿Y por qué querías que te asustara?

–No quería que me asustaras, tía.

–¿Y para qué querías que viniera?

–Pues por lo otro.

–¿Qué otro, hija? Si no hablas claro, no te entiendo. Y a veces, incluso cuando hablas claro no te entiendo. Prefiero los gestos. Gesticula, anda.

Soplé mi flequillo.

–Tendríamos que aprender de los Urubú-Kaapor, una tribu del nordeste de Brasil –continuó Clío–. Son bilingües en su lengua y la lengua de señas, porque nacen muchos sordos en su tribu. Mucho más útil.

Esta es mi tía Clío. Clementina Imelda Oceánidas, para más datos. Está como una regadera, pero ella dice que no, que es antropóloga y que no tiene nada de raro.

Un antropólogo es una persona que estudia a los seres humanos, sus costumbres y todo eso.

—Necesito tu ayuda, tía Clío.

Mi tía sonrió entusiasmada. Está como un cencerro, sí, pero es buena a rabiar. Le gusta ayudarme. De hecho, no hay nada en este mundo que le guste más. Bueno, sí: asustarme, pero eso ya lo había hecho.

–Cuéntame, pichoncito.

–Si no me llamas pichoncito.

–Vale.

Y me escupió.

–¿Pero qué haces?

–Es para que veas que no miento, como harían los huambisas, una tribu del Amazonas.

–¿Y qué les pasa a los huam-esos?

–Huambisas, hija, huambisas. Para ellos, hablar sin escupir es lo mismo que mentir. Hay que comprender todas las culturas. Cuéntame.

Y volvió a escupirme.

–Verás... Necesito... encontrar un tesoro.

–¡Genial! –dijo mi tía–. Yo también.

Guardé silencio.

–Tía, hablo en serio. Es un trabajo para el profesor Leónidas.

Clío oyó ese nombre y pestañeó mucho. Yo creo que le gusta un poco, porque en algunas cosas es tan extravagante como ella. Por ejemplo, suele vestir con sombrero de copa y lleva un calcetín de cada color. También nos escupe a los pies cuando nos encuentra en el pasillo, o nos saca la lengua.

Cuando se lo conté a Clío, ella pareció entusiasmarse.

–¿Y nunca os frota la nariz? –preguntó interesada.

–Pero, tía, ¿cómo nos va a frotar la nariz?

Ella volvió a pestañear mucho y hasta suspiró.

–Son formas de saludo de diferentes tribus en el mundo, hija. No debes darle importancia.

Pues resulta que ahora al profesor Leónidas le había dado por ponernos como deberes buscar un tesoro. Así, tal cual: *buscar un tesoro.*

Maya enseguida levantó la mano y preguntó:

–¿Pero qué tipo de tesoro?

–¿Y dónde lo buscamos? –le siguió Julián. Y cada vez más manos alzadas.

–¿Tiene que estar enterrado?

–¿Y si no lo encontramos?

–¿Pero tiene que ser un tesoro antiguo?

–¿Puede ser invisible?

–¿Grande o pequeño?

–¿Tiene que brillar?

–¿Puedo ir al baño?

–¿Vale un tesoro de mentira?

Leónidas se subió los pantalones, que siempre le quedaban enormes, y sonrió.

–Eso forma parte del ejercicio. Tenéis que apañároslas como podáis. ¡El lunes quiero aquí vuestros tesoros!

Total, que allí estaba yo, recurriendo a mi tía Clementina Imelda Oceánidas, la única que me podía ayudar en aquella original tarea del colegio.

–Resulta que...

Pero Clío ya se había ido. Corrí tras ella.

–¿Adónde vas? –grité.

–¡A sacar los billetes!

–¿Qué billetes?

–Pues qué billetes van a ser: ¡los del avión!

Frené en seco.

–Pero, tía, el lunes tengo que tener el tesoro, y mis padres...

–¡El lunes! –ella también se paró en seco–. Ah, bueno, tenemos tiempo de sobra. Pensé que era para esta tarde. ¡Entonces, vamos andando!

Y como yo no me moví, dijo:

–¡Vamos!

–¿Y mis padres?

–¡Ellos pueden apañárselas perfectamente sin ti!

Y sin más, me agarró de la manga y siguió corriendo.

2

EN EL BOSQUE

–LO PRIMERO ES VESTIRSE adecuadamente –me dijo mi tía cuando llegamos a su casa–. Vas hecha un adefesio, Pi. Así no encontrarás un tesoro nunca.

–¿Por qué me llamas Pi?

–Para no llamarte pi-y-lo-que-sigue. ¡Mira qué facha llevas!

Bajé la cabeza para ver mi ropa. Llevaba vaqueros y unas zapatillas de deporte con cámara de aire y flechas rosas, comodísimas. ¡Estaba impecable!

Ella metió la cabeza en el armario y empezó a lanzar ropa por todos lados. Al final se puso un casco de exploradora, una falda de tul, un chaleco con miles de bolsillos y un silbato.

−Venga, venga. Ponte esto.

Me lanzó una gorra, pero yo no me la puse. Salimos a la calle.

−¿Y adónde vamos? −le pregunté.

Clío meneó la cabeza, disgustada.

−¿Cómo quieres que lo sepa?

−¡Ah! Como saliste tan rápido, pensé que sabías...

−¿Que sabía qué? ¿Dónde hay un tesoro? Si lo supiera, no lo buscaría, ¿no crees?

−No sé.

−Y que una cosa quede clara, palomita...

–No me llames palomita.

–A esta aventura vamos juntas. Pero cada una debe buscar su propio tesoro.

Levanté los hombros un poco decepcionada. Yo que creí que con la tía Clío los deberes iban a ser pan comido...

–¡Hala, vamos!

–¿Pero adónde? –insistí.

–A donde haga falta.

Casi corríamos por la calle. Clío se detuvo.

–¿Y la maleta?

–¿Qué maleta?

–Ah, ya entiendo –dijo, y siguió caminando.

Yo no entendía nada, pero seguí tras ella, que iba a toda pastilla sujetándose el gorro.

–Tú crees que para tu tesoro no necesitas maleta. Eso ya es una pista.

Todo el mundo se paraba a mirarnos. La tía, de vez en cuando, daba silbatazos. No sé por qué lo hacía, debía de gustarle. A mí me daba un poco de vergüenza y protesté:

–Llamas la atención.

–¿Yo?

–Es por tu vestimenta. ¡Y por el silbato! Pitas y te miran y entonces ven tu vestimenta.

–¿Qué le pasa a mi vestimenta?

–Es estrafalaria.

–Yo no la llamaría así. Es original, elegante y distraída.

–Elegante, no.

–Gorrioncita, debes saber que la elegancia es un concepto variable con el espacio y el tiempo. Puede ser que yo no te parezca elegante aquí y ahora, pero vayamos un poco más arriba y dejemos pasar unos minutos. Las cosas pueden cambiar, como el viento. ¡Ah, mira!: sopla en esa dirección. Yo creo que mi tesoro se lo lleva el viento. Al fin y al cabo, el viento y el aire forman parte de las personas, como dicen los apaches. ¡Corre!

Puse los ojos en blanco y resoplé. ¡Vaya prisas para no saber adónde íbamos!

Seguimos la dirección del viento, dimos varias vueltas en redondo, subimos y bajamos cuatro cuestas y al final acabamos en el bosque de las afueras del pueblo.

No te creas que es fácil buscar un tesoro. Para empezar, hay que saber qué tipo de tesoro se busca. Y yo, para ser sincera, no tenía ni idea de cuál podía ser el mío. La tía Clío tampoco, pero a ella eso no parecía importarle.

–Un buen sitio para buscar un tesoro, ¿no te parece? –dijo satisfecha.

Levanté los hombros. Podía ser. A veces hay tesoros enterrados en los bosques.

–¿Qué te parece debajo de un roble?

–Pero este bosque es de eucaliptos.

–Ya, lástima. ¿Y debajo de un sicomoro? Era el árbol sagrado de los egipcios.

–¡Pero este bosque es de eucaliptos!

–Ya, qué pena. ¿Y debajo de un baobab?

–¡Tía!

–¡Ay, hija, solo pones inconvenientes! Así nunca encontraremos nada. Venga, paseemos por el bosque con los ojos bien abiertos. Tal vez encontremos el árbol taoísta que da un melo-

cotón cada tres mil años. ¡Anda, mira, un árbol taoísta que da un melocotón cada tres mil años! ¡Eso sí que es un tesoro!

Clío me señalaba un arbusto más bien flojo y sin fruta alguna. Lo valoré.

–Yo creo que esto no es un árbol de esos, tía. Además, menuda porquería de árbol si da un melocotón cada tres mil años.

–Ya, pero ese melocotón te vuelve inmortal.

Dio tres soplidos a su silbato y me sonrió.

–¿Esperamos?

–¿Tres mil años?

–Lo que haga falta, Pi.

–No, no. Ese no es mi tesoro –dije espantada.

Menudo rollo esperar tres mil años a que naciera un melocotón que te hace inmortal. Seguro que acabas muriéndote de aburrimiento. A mí aún me quedaban muchos años por vivir. ¿Para qué quería más?

Mi tía aplaudió.

–¡Ay, qué alegría, tortolita! Tampoco es mi tesoro. En absoluto. ¿Seguimos mirando por el bosque?

–¡No me llames tortolita!

Mi tía me volvió a escupir y continuamos inspeccionando el bosque de eucaliptos. Había varios compañeros de clase cavando hoyos por aquí y por allá. Estaban Julián y Clara, y el pesado de Luis y... Entonces lo supe.

–No, Clío. Salgamos del bosque. Mi tesoro no está aquí.

Porque una cosa sí tenía clara: mi tesoro, el tesoro que debía llevarle al profesor Leónidas, fuera cual fuera, debía ser único.

3

DONDE LA PLUMA NOS LLEVE

CLEMENTINA IMELDA OCEÁNIDAS entrecerró los ojos y dejó que el aire levantara sus rizos por debajo del casco. La imité. Creo que la vimos a la vez. Yo sentí como un bienestar, una ingravidez, pero no le di importancia.

Mi tía gritó:

–¡Sigámosla!

Era una pluma. Blanca y pequeña.

Volaba con el viento, subía, bajaba, hacía rizos salerosos y se batía en el aire que daba gusto verla.

–¡Sigámosla! –repitió Clío, tirándome del brazo–. Siempre hay que perseguir a las plumas que vuelan. Seguro que nos lleva a un tesoro.

Corrimos tras ella. Es verdad que a veces, cuando parecía que iba a alcanzar el suelo, nos daba una pena grande, y en alguna ocasión, con mucho disimulo, la tía Clío soplaba un poco. Yo creo que eso era hacer algo de trampa, pero no dije nada. Tampoco tenía claro que la pluma pudiese conducirnos a nuestros tesoros.

Corríamos por el camino que lleva al río. La pluma giró inesperadamente, y nosotros también. Tuvimos que sortear varias vacas, un semáforo, tres bicicletas con niños, otra sin niño y un perro, pero al fin la pluma pareció

cansarse de tanto viaje y cayó a un agujero. Nos detuvimos y miramos hacia abajo.

–¡Anda, un mentawai! –dijo la tía Clío.

Allí, dentro del pozo, con una cinta en la cabeza y una flor detrás de la oreja, había un hombre. Sudaba y llevaba una pala de cavar.

–¿También está buscando un tesoro?

–¿Qué es un mentawai, tía?

–Una tribu de la isla Siberut, en Indonesia. Se ponen una flor en la cabeza todas las mañanas para ahuyentar a los malos espíritus. No me digas que no es bonito.

–¡Yo no soy un mentawai! –protestó el hombre.

–¡Pues debería! –se enfadó ella.

–¿Busca un tesoro?

El hombre me miró y sonrió indulgente como diciendo: «Vaya, siento que vayas con esa mujer tan loca».

Al fin dijo:

–No, yo no busco un tesoro. Busco agua.

–¡Eso es un tesoro! –volvió a enfadarse la tía.

Estaba un poco irritada. El hombre se apoyó en la pala y dijo:

–Para mí es un trabajo.

–¡Un trabajo también es un tesoro! –gritó Clío.

Yo me la llevé a un lado.

–Pero, tía, ¿se puede saber qué te pasa?

Ella se puso colorada.

–Es que es un hombre muy guapo.

–¿Y por eso te enfadas todo el rato?

–Es que me pongo nerviosa, Pi.

Me reí.

–A lo mejor es ese tu tesoro –grité–. ¡El amor! Por eso nos trajo la pluma aquí.

Ella se puso más colorada todavía. Le empezaron a caer chorretones de sudor del casco.

–¿Tú crees? –dijo dubitativa.

–Sí.

La miré con tanta seguridad que pareció convencerse. Se volvió al borde del agujero, encendió un cigarrillo –y eso que mi tía no fuma– y miró hacia abajo.

–Puedo fumar todo el día y limarme los dientes hasta tenerlos picudos –le dijo sonriendo.

El hombre miró para mí, desesperado.

–¿Su madre está bien de la cabeza?

–No es mi madre –dije–. Es mi tía y es antropóloga.

–Es que a los mentawai les gustan las mujeres con los dientes picudos y...

–¡Y dale, que no soy mentawai!

Clío tiró el cigarrillo y sonrió abiertamente.

–¡Qué alegría, oye! No me gusta nada fumar. Y mucho menos limarme los dientes, que los tengo muy bonitos.

–¿Ya no te enfadas?

–No, hija, si tampoco es tan guapo –me confesó al oído.

–Hala, pues vamos.

Ya nos habíamos dado la vuelta cuando comenzamos a oír las paladas del hombre. Algo así como crus-cras, crus-cras y, de pronto, clin-clin. Y el hombre:

–¡Dios mío, un tesoro! ¡Un tesoro! ¡He encontrado un tesoro!

Corrimos de nuevo hacia el agujero. Bajo la pala había un cofre metálico semienterrado. El hombre se lanzó a sacarlo escarbando con las manos. Lo abrió. La luz del sol rebotó en su contenido: piedras preciosas, joyas... El hombre empezó a dar vueltas de alegría.

Y Clío:

–Señor, disculpe, pero a lo mejor ese tesoro no es suyo, sino de mi sobrina. La pluma nos ha traído aquí.

Yo miraba ceñuda aquel cofre. Valoraba si aquellas joyas suponían un tesoro para mí. Valían mucho dinero, sí, pero no servían más que para adornarse las orejas y el cuello. ¿Crees de verdad que ese es un buen tesoro?

El hombre torció el morro y se puso a insultar en chino (a lo mejor no era chino y era el idioma de los mentawai). Mi tía sacó su silbato y se montó un buen guirigay.

–Tía, tía –le dije tirando de su falda de tul–. ¡No es mi tesoro, de verdad!

–¿Estás segura?

–Sí, tía, ¿para qué quiero yo joyas? Además, ¡mira!

La pluma había salido del agujero y volaba otra vez hacia las nubes.

–Disculpe, señor –dijo Clío–. El tesoro es suyo. Que lo disfrute.

Y las dos echamos a correr detrás de la pluma.

4

Un deseo

Se perdió.

Un remolino alzó la pluma tanto que se extravió entre las nubes o más allá, a lo lejos, donde el mar.

Mi tía cerró los ojos.

—Tal vez en el mar... —dijo.

—¿Y en una isla? En las islas hay siempre muchos tesoros.

Clío tamborileó con los dedos en una farola y se quedó pensando un rato.

—No, no has traído maleta, ¿ves? Entonces, tu tesoro no está en una isla. Sigamos andando.

—¿Hacia dónde?

—Cierra los ojos y da varias vueltas. Deja que tu corazón decida.

–No decide nada.

–Pues entonces, escucha a tu hígado. A ver si los chewong van a tener razón.

–¿Los chewong?

–Sí, una tribu de Malasia. Para ellos, las emociones están en el hígado, no en el corazón. Y, la verdad, es muy posible. ¿No crees, meloncita? A veces hay que pararse a pensar más las cosas. El hígado es un órgano tan vital como el corazón y nos purifica. Anda, escúchalo.

Lo intenté, pero ni el hígado ni el corazón me decían nada. De pronto sentí un impulso hacia adelante y casi me caigo. Abrí los ojos. Había sido la tía Clío, que me había empujado.

–¡Anda, Pi! Ya has escuchado a tu hígado. ¡Por allí!

«¡Tramposa!», dije para adentro.

Pero me callé y la seguí.

Ya estaba oscureciendo. Las dos empezábamos a perder fuerzas. Lo único bueno de esto es que la tía ya no daba pitidos con el silbato. Nos sentamos en un banco a descansar y en-

tonces vimos las luces. Eran de muchos colores y formas distintas. Algunas se movían.

–¡Anda, mira! –dijo mi tía–. ¡Un platillo volante!

Y yo:

–Que no, tía, que eso son las barracas de la feria, que hay fiestas en el pueblo.

Clío pareció decepcionarse. Pero yo estaba entusiasmada. Una feria era un lugar fantástico para encontrar un tesoro. El mío. O, al menos, para divertirnos un rato.

–¿Podemos ir, por favor? –le rogué tirando de ella.

–Está bien. Pero no me tires de la manga del chaleco de esa manera.

–¡Pero si los chalecos no tienen mangas! –protesté.

–Pues por eso.

Se puso de pie y fue hacia las luces. Al principio iba paseando, pero a medida que nos acercábamos empezó a dar saltitos, y al rato ya estaba bailando a grandes zancadas al ritmo de la música de las barracas.

–Querías venir, ¿eh, Pi? Eso significa que tu hígado ya te está dando pistas. A ver si va a estar aquí tu tesoro.

E hizo tres piruetas. La verdad es que terminó con mucha gracia, y unos señores aplaudieron. Mi tía hizo una reverencia y me tomó del brazo. Caminamos por la feria. Había algodones de azúcar, tómbolas, tiovivos, coches de choque... ¡Todo era maravilloso!

Un chico, medio estirado y con bigote incipiente, no dejaba de mirarnos. Tenía el pantalón remangado y llevaba una camisa de volantes.

–Psh, psh –llamó.

Clío y yo volvimos la cabeza, pero como no había nadie detrás, entendimos que se dirigía a nosotras. Nos acercamos.

–Por un euro, tu fututo –nos dijo–. Por dos euros, tu deseo.

–¡Aaah! –gritó mi tía Clío dándonos un buen susto a todos–. ¡Lo has encontrado! ¡Lo has encontrado!

Yo me puse un poco colorada porque no dejaba de dar saltos y de gritar.

–¿El qué ha encontrado? –preguntó el chico, que se empeñaba en hablar en voz muy baja y misteriosa.

–Dile tu deseo, niña. Yo le doy dos euros.

–¿Quieres dejar de bailar de esa manera? –le rogué avergonzada.

–¡Mecachis! –se lamentó ella–. Has malgastado tu deseo. Me quedo sin dos euros y encima tengo que dejar de bailar. ¡Qué lata!

Yo me puse más roja todavía, pero esta vez de rabia.

Mi tía tenía razón, como siempre: había desperdiciado mi deseo.

Nos rodeaban muchas señoras y señores que habían salido de las caravanas al oír los gritos de mi tía. Y aunque parecían muy divertidos y amables, Clío y yo estábamos apesadumbradas y no les hicimos mucho caso.

–Volvamos a casa –dijo mi tía–. Mañana seguiremos buscando.

–No sé lo que buscan –dijo el chico con aquella voz susurrante–, pero no se desanimen. Hay que mirar de frente hacia el futuro. Por solo un euro...

–¿Y quién le dice que el futuro está delante y no detrás? –le espetó mi tía–. Debe usted saber, querido joven, que algunas tribus, entre las que se encuentran los Urubú-Kaapor, pueblo indígena brasileño, bilingüe en el lenguaje de señas, como bien sabe mi sobrina, consideran que el futuro está detrás porque no lo

vemos, y el pasado está delante porque es lo único que conocemos.

–Yo por un euro se lo hago ver –insistió el chico.

–¿No te das cuenta de que no queremos ver nuestro futuro? –le dijo mi tía en varios idiomas–. ¡Menudo rollo si sabemos lo que nos va a pasar!

Después, muy digna, se dio la vuelta y nos fuimos.

Los señores allí congregados nos aplaudieron, no sé muy bien por qué, y sus aplausos se fueron perdiendo en la noche.

Tardamos muy poco en llegar a casa. Habíamos dado muchas vueltas y nos encontrábamos a solo tres manzanas de caramelo (que había comprado mi tía). Cuando ya estábamos acabando la segunda manzana y mordisqueábamos los restos, nos cruzamos con el profesor Leónidas.

Yo me quise ocultar detrás de mi tía, por si me preguntaba qué tal iba mi tesoro. Pero Clío se dio cuenta y me sujetó del brazo muy fuerte, para hacerme bien visible.

–¡Buenas noches, don Leónidas!

–¡Buenas noches, doña Clementina! ¡Qué elegante está usted!

Clío me sonrió con un «yatelodecíayo».

–Hace una noche espléndida, ¿verdad, don Leónidas?

–Desde que la he visto a usted es más espléndida todavía, doña Clementina.

–Qué cosas dice usted, don Leónidas.

–Y las que me callo, doña Clementina. Y las que me callo.

–Adiós, don Leónidas.

–Hasta más ver, doña Clementina, que no mejor, que es imposible.

Clío pestañeó muchísimo sin dejar de sonreír y seguimos nuestro camino. En ningún momento don Leónidas miró hacia mí.

–¡Pues casi tengo mi tesoro! –grité indignada.

Cuando acabamos la tercera manzana de caramelo y nos chupeteábamos los dedos, llegamos a casa.

–¡Hasta mañana, Pi! –dijo mi tía.

Después la vi alejarse tocando el silbato sin parar. ¡Había recuperado su buen humor!

Lo último que oí antes de cerrar la puerta de casa fue un *amable* «métete el pito en la sandalia y déjanos dormir, chiflada».

5

TESORO SÍ, TESORO NO

Clío se presentó muy temprano. Tocó el timbre tantas veces que todos nos volvimos un poco locos. Mi padre le dijo a mi madre:

–¡Ya está aquí la sonada de tu hermana!

Y ella:

–¡Desde luego, cómo eres!

Y mi padre otra vez (a mí):

–¿Tengo razón o no tengo razón?

–Viene a ayudarme con los deberes, papá.

–¡Los deberes! ¿Y qué sabe Clementina de los deberes?

–Algo sabrá. Es antropóloga –protestó mi madre.

Los dejé discutiendo y me fui a abrir la puerta, que era lo más razonable dado el número de timbrazos. Lo único que yo rogaba era que la

tía Clío no se hubiera traído el silbato. Fue peor. Abrí la puerta y allí estaba mi tía Clementina Imelda Oceánidas con la misma ropa del día anterior y un megáfono colgado del cuello.

–¡Hora de ir a buscar tesoros, golondrinita! –dijo poniendo los labios en el megáfono.

Miré de reojo a mis padres y les vi haciendo gestos de asombro y de enfado.

–¡Calla, tía! –le espeté–. No hables por ese chisme, no me llames golondrinita y huyamos de esta casa.

Menos mal que mi tía me toma en serio. Puso su mano en el pecho y dijo escupiéndome en un ojo:

–¡Huyamos!

Me agarró del brazo y echamos a correr. Cuando ya llevábamos un buen trecho, me señaló un banco en la plaza.

–¡Sentémonos!

Nos sentamos.

–¡Pensemos!

Pensamos.

–¿Se te ocurre algo?

–¡No!

–¡Esperemos!

Esperamos.

–¿Tú crees que esperando encontraremos un tesoro?

–¿Y por qué no?

–Es que no pasa nada.

–¡Esperemos más!

Y esperamos más.

Yo me estaba aburriendo.

Pensaba en qué otros tesoros habrían encontrado los niños de mi clase, y rabiaba un poco

imaginando que eran fabulosos. Un viento vino a sacarme de mis cavilaciones, y era un niño en patinete. Me pregunté si mi tesoro sería un patinete. Lo descarté de inmediato.

Me fijé en las abejas y las flores de los árboles, y recordé que estábamos en primavera. ¿Y si la primavera fuese mi tesoro? Me pareció tan cursi que me dio rabia haberlo pensado.

Vi a mis padres de lejos. ¿Y la familia? La mía no, desde luego. ¿Entonces? ¡Buf!

Empezaba a pensar que la tarea que nos había mandado el profesor Leónidas era más

difícil que una multiplicación de veinte números. Por más que pensaba, no acababa de descubrir cuál era mi tesoro. Y a mí me cansa pensar.

–Me aburro, tía.

–Es que pones poco empeño.

–¿Poco empeño en qué?

–En esperar.

Suspiré, y cuando había acabado de suspirar vi a la bibliotecaria, que corría atolondrada por la plaza.

Entonces se me ocurrió. Iba a dejar a don Leónidas con la boca abierta.

–¡Tía, ya sé cuál es mi tesoro!

Clío comenzó a dar palmas y se puso de pie en el banco. Se llevó el megáfono a la boca, pero luego recordó su promesa y se lo quitó.

–¿Cuál es? –me preguntó en un susurro.

–¡Ven y lo verás!

La agarré del chaleco y la llevé corriendo hasta la biblioteca. Cuando entramos, le mostré los libros con las manos.

–¿Los libros? –preguntó ella, asombrada.

Yo asentí satisfecha.

Me imaginaba la cara de entusiasmo del profesor: «Un libro, un tesoro, eso sí que es un buen ejercicio, querida niña».

–¡Pero si a ti no te gustan mucho los libros! –dijo la tía Clío.

¡Ya lo tuvo que fastidiar!

–Alguno habrá que me guste –dije yo intentando no perder mi entusiasmo–. ¡Hay tantos!

Nos pusimos a rebuscar entre las estanterías como locas. Yo los iba apilando sobre la mesa después de hojearlos.

–¡Este no! ¡Este tampoco!

–¡Anda, mira este! –dijo mi tía–. ¡Es poesía!

Se le encharcaron los ojos de lágrimas.

–¿Pero qué te pasa, tía?

–Nada, jilguerito. Es que tal vez sea este mi tesoro.

Me dio un poco de rabia que ella lo hubiera encontrado antes que yo y encima con mi idea, y llamándome jilguerito. Pero se me pasó enseguida porque la tía se puso a recitar a voz en grito y todas las cabezas se volvieron:

–Chisssss...

–¡Silencio!

–¡Esto es una biblioteca!

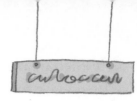

–No saben entender la poesía –me dijo Clío por lo bajo–. Pero yo sí.

Y se puso a leer muy interesada. Al rato, se había dormido. Tuve que despertarla.

–Tía, creo que ese no es tu tesoro.

–No –confesó–. Los tesoros no te hacen dormir, ¿verdad? ¡Hala, pues vámonos!

–¡Pero tengo que encontrar el mío!

Miró las tres torres de libros (sí, ya eran tres) que había sobre la mesa.

–Oye, pi, ¿no será que lo que tú tienes es un *lotomalie*?

–¿Qué es un *lotomalie*, tía? –dije sin hacerle mucho caso, mientras añadía libros a las torretas–. ¡Este no! ¡Este tampoco!

–Los samoanos llaman así al deseo de agradar.

–¿Y...? ¡Este, ni en pintura!

–Que tal vez lo que te pasa es que quieres encontrar un libro como tesoro para agradar a don Leónidas, pero ese no es tu tesoro de verdad, ¿comprendes?

Me paré en seco. Noté que me ardían las mejillas. Tenía razón: estaba sufriendo un *lotomalie* como la copa de un pino.

–¡Es verdad! –dije tristemente–. ¡Vámonos!
Y nos fuimos.

Cuando salimos de la biblioteca, escuchamos un gran estrépito. No sé por qué me dio por pensar que habían sido las torretas de libros, que se habían caído al suelo. Por si acaso, le dije a mi tía:

–¡Corre!

–¡Huy, qué bien, ya tenía yo ganas de echar una carrera!

Cuando quisimos darnos cuenta, era tarde y tuvimos que parar a comer. Clío me invitó. Mientras comíamos, la vi muy rara.

–¿Qué te pasa, tía?

–Nada. Estoy contentísima.

–Ya, pero no sonríes. Estás demasiado tranquila.

–Pues estoy contentísima. Ha sido una liberación saber que la poesía no era mi tesoro.

–¿Y por qué no saltas de alegría, tía?

–Que sepas, curruquita, que para los mayas la alegría es un estado de tranquilidad, de equilibrio, no de euforia. Si yo ahora me pusiese a dar saltos...

–Serías Clementina Imelda Oceánidas, la mejor tía del mundo.

Clío se sonrojo.

–¿Tú crees?

–¡Y si no, también!

Me plantó un beso en la mejilla que sonó como unos platillos y dijo:

–¡Y ahora, a comer lentejas!

A la tía Clío le encanta comer lentejas a cualquier hora del día. Nos las zampamos y salimos escopetadas en busca de nuestros tesoros. Al menos, ya sabíamos lo que *no* eran nuestros tesoros.

–¡Y eso es un avance! –dijo mi tía–. Muchos ni siquiera lo tienen claro.

Y había que darle la razón. ¿O acaso crees que todo el mundo tiene claro cuáles *no* son sus tesoros?

Después, hizo una voltereta lateral que le salió muy bien y seguimos caminando.

6

Que es mi barco

–¡Concéntrate, hija! –dijo mi tía Clío–. Piensa en tu tesoro todo el rato.

–¡Si ya lo hago! –dije, repitiéndome por lo bajo: «Tesoro, tesoro, tesoro».

–Si piensas en otra cosa, por ejemplo un cepillo de dientes, hallarás un cepillo de dientes. Si piensas en un tesoro, encontrarás un tesoro.

Me dio por pensar: «Helado, helado, helado». Pero la tía Clío no lleva razón siempre.

–¡Corre, Pi, corre! –me gritó de improviso.

–¿Y ahora por qué corremos? –pregunté irritada.

–Para no perder el autobús.

–Pero ¡¿qué autobús?!

–No sé. Uno cualquiera. Mejor moverse que estar parado.

Pasó un autobús cualquiera y nos montamos. La tía Clío preguntó al conductor:

–¿Este autobús va hasta el final?

–¿Hasta el final de qué?

–Hasta el final de algo. Para encontrar lo que buscamos hay que llegar al final.

–¡Llega hasta el final del trayecto, señora, si eso es lo que usted quiere saber!

–¡Perfecto!

La tía Clío pagó los billetes y se sentó satisfecha. Yo miré por la ventanilla y me dejé acu-
nar por el traqueteo. Las casas volaban, y luego
los árboles. Y los postes de electricidad. Y una
vaca. Al fin apareció el mar.

–¡El mar, tía! –dije entusiasmada.

–¡Final de trayecto! –gritó el conductor,
aunque no le hacía falta gritar, porque solo estábamos nosotras, y en los asientos de detrás
de él.

La tía Clío me tomó de la mano y bajamos.
El aire salado nos envolvió.

–Creo que mi tesoro puede estar por aquí –afirmó la tía.

Paseamos por el puerto, y a mí todos esos barcos y las redes y el agua balanceándose me pusieron un poco melancólica. Creo que por eso dije:

–Si yo tuviera un barco, ese sería mi tesoro.

–Eso está bien, pero no es nada original. Ya lo dijo en el año 1840 José Ignacio Javier Oriol Encarnación, más conocido como Espronceda.

Y enseguida se puso a recitar: «Que es mi barco mi tesoro, que es mi dios la libertad...».

No me gustó nada que la idea no fuese original. Así que la descarté. De todas formas, yo no tenía barco.

Cuando la tía Clío llegó al verso 105, que es el último del poema, estábamos en mitad de la playa.

–Un tesoro de conchas, un tesoro de arena, un tesoro de mar... –enumeraba yo.

Pero ninguno me acababa de convencer.

–¿Sabes, garcillita? Cuando yo era pequeña...

–¡Deja de llamarme por nombres de aves!

–... hacía tesoros con los cristales de colores redondeados por el mar –continuó ignorándome–. Los metíamos tu madre y yo en una cajita de alfileres dorada y los escondíamos en un hueco que tenía la mesa del salón por debajo.

–¡Ese sí que es un buen tesoro! ¿Y dónde está ahora, tía?

–¡A saber! La mesa se vendió con el tesoro dentro. Yo, siempre que me siento a una mesa, miro primero debajo, por si acaso. De todas formas, creo que ese ya no es mi tesoro real-

mente. Las personas cambian y, con ellas, sus tesoros.

Me pareció que mi tía también se estaba poniendo algo melancólica.

Como no se nos ocurría nada más, empezamos a hacer hoyos en la arena por si encontrábamos algo.

–¡Qué asco! –grité–. ¡Un montón de gusanos!

Porque eso es lo que había encontrado yo. Miré de reojo a ver qué había encontrado mi tía. Ella tenía un trozo de botella de plástico.

–¡Te lo cambio! –grité.

Clío aceptó. Entonces llegó un pescador y se abrazó a mi tía.

–¡Dios mío, qué suerte! –dijo–. ¡Ha encontrado un tesoro!

–¿Un tesoro? –exclamé indignada–. ¡Si son gusanos!

–Sí, pero esos gusanos son el mejor cebo para pescar. ¡Se los compro!

Miré con disgusto la botella de plástico rota que aún tenía entre las manos y la lancé todo lo lejos que pude.

–¡Porras! –dije.

Mi tía, que es muy generosa, le regaló los gusanos al pescador y nos volvimos en autobús. Ya casi era de noche. Yo iba muy callada, con la frente apoyada en el cristal, viendo pasar la oscuridad de los paisajes. Meditaba sobre lo diferentes que son los tesoros para las personas y comprendí por primera vez que el ejercicio del profesor Leónidas tenía más miga de lo que podía parecer. Aún no tenía claro cuál era mi tesoro, y empezaba a dudar que lo fuese a tener alguna vez.

Clío me preguntó:

–¿Y a ti este día cómo te ha parecido, cariño? ¿Fasto, nefasto o ni fu ni fa?

–¡Nefasto! –dije sin dudar.

–¡Bueno, pues hemos hecho bien en no trabajar más! Los antiguos egipcios, que eran muy sabios, prohibían trabajar después del atardecer en los días nefastos. ¿Y mañana?

–¿Mañana qué?

–¿Que cómo te va a parecer mañana el día?

Me encogí de hombros.

–¡Ni fu ni fa! –dije por decir.

–Yo creo que será fasto, Pi. ¡Fasto fastísimo!

Y no dijimos nada más hasta llegar a casa. Y eso que yo no tenía claro qué quería decir eso de «fasto».

Es lo que tiene buscar tesoros, que es muy cansado.

7

EL MAPA DEL TESORO

AMANECIÓ LLOVIENDO y no dejó de hacerlo en toda la mañana.

–¡Hace un día muy malo, tía! –dije apesadumbrada.

–¿Por qué?

–Llueve a mares.

–¡Pero si es un día precioso!

–Malo –insistí.

–Si te empeñas en ver las cosas negativas, las verás.

Miré a mi alrededor: había un hombre empapándose, un niño resbalando en un charco, una vaca muerta de frío y un pájaro que no cantaba. No era cosa mía.

–¡Pero si solo pasan cosas negativas! –protesté.

Clío miró a su alrededor y dijo:

–Pues yo veo a un hombre chapoteando feliz como cuando era pequeño, a un niño haciendo surf en un charco, a una vaca que agradece la lluvia para tener más pasto, y a un pájaro escuchando el aguacero. ¡Hermoso!

La dejé por imposible.

–Te digo yo, Pi, que este día es muy propicio para encontrar tesoros. Dejémonos llevar por la lluvia.

–Pues ya podemos encontrar algo, porque el tiempo se acaba. Mañana tengo que llevar el tesoro a don Leónidas.

–No perdamos el ánimo. ¡Adelante!

Como se había formado un reguero, nos dejamos resbalar por él. Era como ir en un tobogán de lluvia, y aunque nos estábamos empapando, también nos reíamos mucho. Empecé a ver las cosas con otros ojos. Es verdad. Aquel día era propicio para encontrar tesoros. ¿Acaso no era la lluvia un tesoro? Sí, me había puesto positiva, tal vez demasiado.

Al final de una cuesta, se acabaron el reguero, la calle y el pueblo, todo de golpe. La tía y yo caímos de bruces en un campo de espigas.

–¡Siempre quise caer en un campo de espigas! –gritó entusiasmada Clío.

–¡Pues yo habría preferido un campo de girasoles!

Sacamos nuestras cabezas por encima de las espigas y vimos un carro. Nos subimos.

–¡Hola! –dijo el conductor, que era un hombre muy viejo–. Me alegro de que hayan decidido subir. Llevo mucho tiempo viajando

solo. De casa al campo de espigas, del campo de espigas a casa...

–Nosotras buscamos un tesoro. Bueno, dos, cada una el suyo.

El hombre nos miró con interés. Era tan viejo que parecía una bola de papel que alguien había arrugado.

–Eso es interesante. Yo tengo uno. Es un tesoro familiar, lo vamos heredando.

Guardó silencio y echó la cabeza hacia atrás mientras espoleaba al burro.

–Yo no tengo hijos –añadió tristemente–. ¿No querrán ustedes heredar mi tesoro?

A mí se me encendieron los ojos. ¡Claro! Ejercicio resuelto. Hala, ya podíamos volver a casa. Llovía mucho y empezaba a tener frío.

–No sería justo –dijo mi tía.

¡Vaya!

El anciano se sacó del bolsillo un papel y nos lo ofreció.

–En realidad, nadie sabe cuál es el tesoro familiar. Solo tenemos el mapa que hemos ido heredando de unos a otros.

–¡Eso es otra cosa! –dijo Clío agarrando el papel, entusiasmada–. Muchas gracias.

–¿Y nadie ha buscado el tesoro? –pregunté yo, intrigada.

–¿El tesoro? ¡Qué tontería! ¿Para qué íbamos a buscarlo? ¿Y si no nos gustase? ¡Quita, quita! Además, si hubiéramos encontrado el tesoro, el mapa ya no valdría nada.

–Ya, pero...

–Hala, niña, deja de interrogar a este señor, que querrá irse a su casa.

Nos despedimos del anciano amablemente y le prometimos seguir con la costumbre familiar de dejar en herencia el mapa.

–¡Qué hombre tan bueno! –dijo la tía Clío, a punto de llorar.

Miramos el mapa. Era un papel viejo lleno de símbolos incomprensibles. Por mucho que la tía Clío supiera, jamás podría descifrar el mensaje.

–¡Anda, he descifrado el mensaje!

O sí.

–¿Y qué dice, tía?

–A ver, sígueme. Desde aquella zanja hay que dar tres pasos, bajamos corriendo, damos una vuelta al álamo, otra al abedul y tres al castaño, seguimos por el río, saltamos a la pata coja, cruzamos la cueva de la cola de caballo y miramos por el agujero con el mapa en las manos. Lo que allí veamos es el tesoro.

Hicimos todas esas cosas, que eran muy divertidas, y llegamos a la cueva de la cola de caballo.

–¡Déjame mirar a mí primero! –le rogué a mi tía.

Ella accedió. Sostuve el mapa con ambas manos y apliqué el ojo izquierdo sobre el agujero (el derecho es el único que sé guiñar).

–*Tz'ib ool, nib ool*[1] –decía mi tía, que cuando se pone nerviosa habla en maya.

Yo también estaba nerviosa. Pero al ver lo que allí había, me llevé un gran chasco.

–¿Qué pasa? –preguntó Clío.

–Que aquí no hay nada. Solo están el agua y la luz, y el mapa reflejándose en ellas.

A mi tía casi le da un patatús.

–Anda, déjame verlo.

Y allí puso su ojo con el mapa entre las manos.

–¡Es genial! –gritó–. ¡Maravilloso! ¡Perfecto!

–¡Pero si no hay nada! Solo se ve el papel del tesoro.

–En efecto –dijo mirándome con una sonrisa–. El mapa del tesoro conduce al mapa del tesoro. No me digas que no es buenísimo.

No, no se lo iba a decir.

–Anda, Pi, ahora que ha parado de llover, podemos volver al pueblo. Y no te sientas decepcionada.

---

[1] *Tz'ib ool*, literalmente, «dibujar corazón»; *nib ool*, literalmente, «arder corazón». Ambas expresiones significan «estar deseoso», en el lenguaje maya.

–No lo estoy –dije decepcionada.

–Ya sabes que durante el viaje es cuando se encuentran más tesoros. De hecho, según Konstantinos, el viaje es el tesoro. También los sueños lo son. ¡Y, cómo no, los recuerdos! Pero, querida niña, nuestros tesoros tienen que ser más originales, más nuestros. Y el mío te aseguro que no es ni el viaje, ni los sueños, ni la memoria, ni ninguna pamplina de esas.

–Sí, vaya sandez.

–Una majadería.

–Gansada completa.

–Mentecatez, sin duda.

Y así, de esta guisa, regresamos al pueblo.

Yo ya estaba segura de que jamás encontraría mi tesoro. También la tía Clío se había contagiado mucho de mi pesadumbre.

Entonces los vi y me dio tal rabia que casi me rompo una muela. Allí estaba Laura, muy sonriente, con un cachorrito en las manos, y a su lado, el pesado de Luis con una caja llena de monedas de chocolate: ¡sus tesoros!

Confieso que no lo pude evitar, que me salió de dentro. El pesado de Luis tenía que pasar a mi lado y allí estaba mi pierna, que sobresalía con disimulo. Tropezaría y las monedas de chocolate se desparramarían sobre la acera, mientras una música vengadora...

–¡Eso solo te conducirá a un enredo emocional!

–¿El qué? –dije fingiendo interesarme por las tejas de la casa de enfrente mientras mi pierna se acalambraba y mi tía me miraba mal.

–¡*Hihia*! –gritó.

–¿*Hihia*?

–¡*Hihia*, eso es! Así lo llaman en Hawái.

El pesado de Luis estaba a pocos metros.

–¿Qué quieres decir, tía?

Mi pierna estaba perfectamente tiesa y situada en su trayectoria.

–Que una mala acción liga sentimentalmente al culpable con la víctima.

–¿Qué mala acción? –dije poniéndome colorada.

La tía me señaló la pierna, pero yo estaba ya haciendo cábalas. ¿Ligar sentimentalmente?

¿Quedar yo ligada con el pesado de Luis por lo que fuera? ¡Ni hablar del peluquín! Quité la pierna de inmediato y Luis pasó sin sospechar siquiera que había estado a punto de romperse la crisma.

–¡Ay, Pi! –dijo de pronto la tía Clío, echándose a llorar a moco tendido–. ¡Que ya sé cuál es mi tesoro! Si es que a veces tenemos las cosas tan cerca que no las vemos.

Me miró de una manera tan rara que tuve que decirle:

–Puedes llamarme pichoncita, tía.

Nos escupimos un poco y, antes de seguir hacia casa dando pequeños saltos, frotamos nuestras narices.

–No solo hacen esto los esquimales –me informó–. También algunas tribus de maoríes de Nueva Zelanda.

Cuando llegamos a casa, la tía Clío me levantó la barbilla y vio que yo estaba un poco triste.

–¿Qué te pasa, golondrinita? ¿Es por tu tesoro? Estoy segura de que don Leónidas prefiere que vayas a clase sin el ejercicio resuelto

a que lo hagas con cualquier cosa que no sea tu tesoro de verdad. Al fin y al cabo, eso demuestra que te has tomado muy en serio los deberes. A veces se tarda años en comprender qué es de verdad importante para nosotros.

Entonces sonrió encantada.

–Pero yo ya lo sé.

Señaló el megáfono que aún colgaba de su pecho y preguntó tímidamente:

–¿Puedo?

–Claro, tía.

Entonces se lo puso en la boca y me gritó:

–¡Hasta mañana, tesoro!

Algunas luces se encendieron y hasta nos arrojaron un cubo de agua, pero no nos importó.

–¡Hasta mañana, tiíta!

Ser el tesoro de alguien es algo muy bonito.

Sonreí. Y eso que envidiaba un poco a la tía Clío por haber encontrado su tesoro.

8

EL TESORO

LLEGÓ EL GRAN DÍA.

Lunes, sol espléndido, 16 grados, viento con componente norte. Cereales con leche. Mucho sueño.

Empecé a oír un ruido extraño y, sin embargo, familiar.

¿Qué era aquello? ¿El zumbido de una mosca? ¿La radio estropeada? ¿La lavadora de los de arriba? Ah, no, era mi madre con su retahíla de siempre.

–¿Quieres tomarte los cereales de una vez, que no llegamos? ¡Si todavía estás descalza! Y aún tienes que peinarte y lavarte los dientes y... No llegamos, de verdad. Hoy no llegamos.

Llegamos.

Me despedí de mi madre y subí los escalones del colegio despacio, sintiendo los empujones de otros niños. Todos llevaban sus tesoros menos yo. Me puse un poco nerviosa y traté de pensar en las sabias palabras de la tía Clío.

Don Leónidas estaba ya en el aula con un pañuelo en la cabeza a modo de turbante. Llevaba bigote, pero creo que era falso.

–¡Vamos, vamos, chicos, sentaos! Hoy es un día muy importante. ¡Vamos, vamos!

Y llegó el momento. Todos fueron enseñando sus tesoros: mascotas, monedas, muñecos, canicas, cuadernos, una máquina de calcular, una colección de chapas, una espada con mango de oro, una foto familiar, un billete de avión...

Solo quedaba yo.

Don Leónidas me miró interrogante, subiéndose los pantalones.

Los niños también me miraban. «No ha traído nada», decían en susurros. «A mí no me hace falta nada», me dije, enfurruñada, pensando en lo banales que eran todos sus tesoros.

Entonces me di cuenta: ¡acababa de encontrar el mío!

Sonreí, me levanté y enseñé mis manos vacías:

–¡He aquí mi tesoro! –dije.

Di una vuelta alrededor de mí misma, mostrándome por delante y por detrás. Por arriba y por abajo. Estaba muy orgullosa y muy feliz.

¡Qué gran tesoro!

Don Leónidas se rascó el bigote. Tiró tanto que se lo arrancó de golpe y toda la clase se echó a reír. Pero don Leónidas comprendió lo que yo estaba diciendo y me puso un sobresaliente como una casa. Mi primer sobresaliente. Después de ese día vinieron más, porque empecé a confiar en mí misma.

Y eso es todo. Aquí acaba la historia de los tesoros. Y acaba bien.

Aunque a lo mejor te estarás preguntando qué pinta una máquina de escribir en el título. Pues, la verdad, nada.

¿Qué?

¡Ah! ¿Que cuál era mi tesoro? ¿Aún no lo sabes?

¡Yo misma!

–¡Pues vaya tesoro! –exclamó alguien en clase el día que lo expuse al profesor Leónidas. Todos me miraban desconcertados.

–¡Pues a mí me gusta! –dije.

Y me reí pensando en la cara que pondría la tía Clío cuando se lo contara.

TE CUENTO QUE LUCÍA SERRANO…

… vino al mundo un día de invierno que hacía mucho mucho frío. ¡Hasta se heló el agua de las fuentes!

De su primer año de vida no recuerda mucho. Pero en el segundo ocurrió algo fantástico: ¡tuvo una hermana! A partir de ese momento, no paró de jugar.

Un buen día, Lucía se dio cuenta de que la imaginación era lo mejor del mundo, y como le gustaban los cuentos y los dibujos, pensó que de mayor sería ilustradora.

Estudió Bellas Artes, y le encantó descubrir tantos colores, olores, texturas y materiales. Cuando acabó de llenar la maleta con todo esto, se fue a vivir a Barcelona, un lugar lleno de cuentos y libros.

Y allí sigue, escribiendo y dibujando mundos en los que no se crece nunca.

TE CUENTO QUE MÓNICA RODRÍGUEZ...

... tiene algunos tesoros. No muchos. Los suficientes.

Tiene tres hijas y dos hermanos y un marido y algunos amigos (de esos especiales) y hasta un perro. También tiene siempre ganas de escribir libros y de leerlos. Y de salir al parque, a la ciudad, al monte, al teatro, al mar.

Y, como la protagonista de este libro y su divertida tía Clío, se toma muy en serio eso de saber qué es lo que realmente tiene valor para cada uno en la vida. Ah, también le fascina la antropología.

¿Y los tuyos? ¿Sabes ya cuáles son tus tesoros?

Mónica Rodríguez nació en Oviedo en 1969. En 2003 publicó su primer libro, *Marta y el hada Margarita*, al que siguieron muchos más. Ha obtenido numerosos premios y reconocimientos, como el Premio de la Crítica de Asturias, el Ala Delta, el Premio Villa de Ibi, el White Ravens por una novela escrita a cuatro manos con Gonzalo Moure o el Leer es Vivir en 2013 por *La niña de los caracoles*.

En el 2012 quedó finalista del Premio El Barco de Vapor con *Kerida Azubá*.